PHILIPPE LEGENDRE

J'apprends à dessiner le bord de l'eau

Éditions Fleurus, 15-27 rue Moussorgski, 75018 Paris

À l'attention des parents et des enseignants

Tous les enfants savent dessiner un rond, un carré, un triangle...
Alors, ils peuvent aussi dessiner une fleur, un animal ou une maison !
Notre méthode est facile et amusante. Elle apporte à l'enfant une technique
et un vocabulaire des formes dont se sert tout dessinateur.

La construction du dessin se fait par l'association de formes géométriques
créant un ensemble de volumes/surfaces. Il suffit ensuite, par une ligne droite,
courbe ou brisée, de donner son caractère définitif à l'esquisse.

En quelques coups de crayon, un voilier, un canard ou un sapin apparaissent,
un peu de couleur et voici réalisée une belle illustration.

Cette méthode propose un apprentissage de la technique
et une première approche de la composition, des proportions, du volume,
de la ligne. Sa simplicité en fait une méthode où le plaisir
de dessiner reste au premier plan.

PHILIPPE LEGENDRE

Peintre-graveur et illustrateur, Philippe Legendre anime
aussi un atelier de peinture pour les enfants de 6 à 14 ans.

Intervenant souvent en milieu scolaire, il a développé
cette méthode pour que tous les enfants puissent
accéder à l'art du dessin.

Quelques conseils

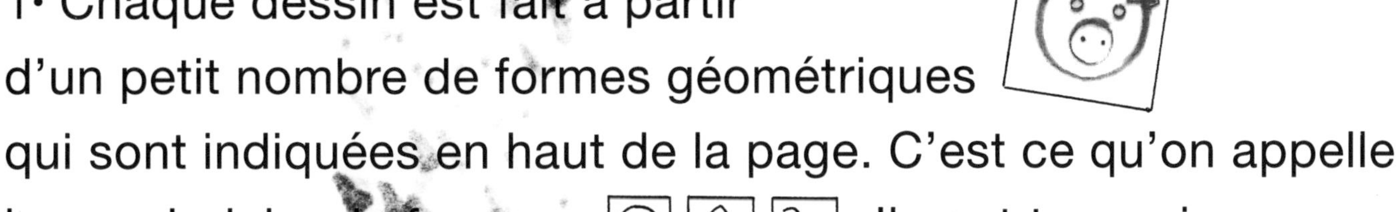

1• Chaque dessin est fait à partir d'un petit nombre de formes géométriques qui sont indiquées en haut de la page. C'est ce qu'on appelle le vocabulaire de formes. Il peut te servir à t'exercer avant de commencer le dessin.

2• Fais l'esquisse du dessin au crayon et à main levée. Attention, pas de règle ni de compas !

3• Les pointillés indiquent les traits de construction qui doivent être gommés.

4• Une fois ton dessin terminé, colorie-le. Si tu veux, repasse en noir le trait de crayon.

Et maintenant, à tes crayons !

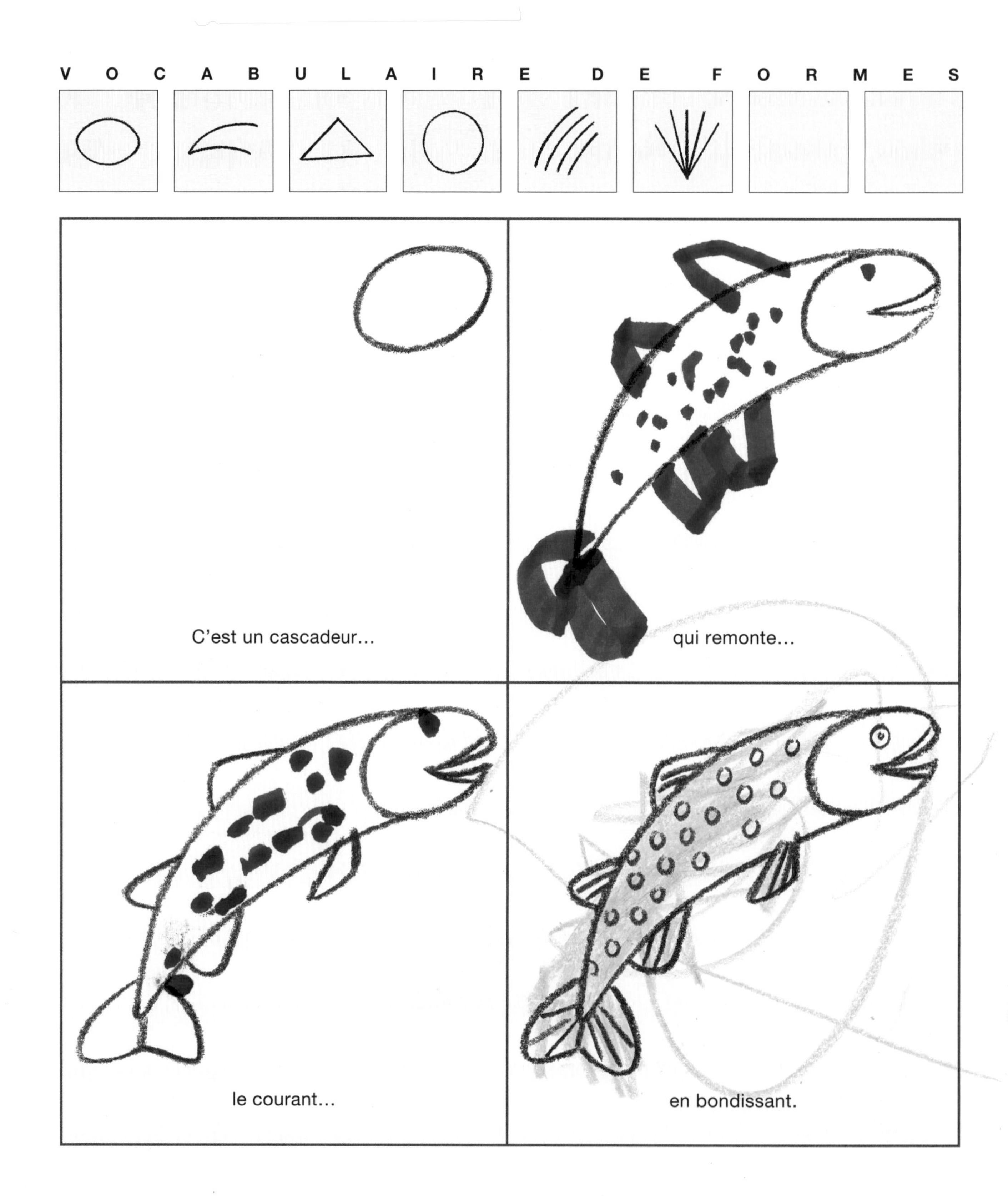
V O C A B U L A I R E D E F O R M E S
C'est un cascadeur…
qui remonte…
le courant…
en bondissant.

Le saumon

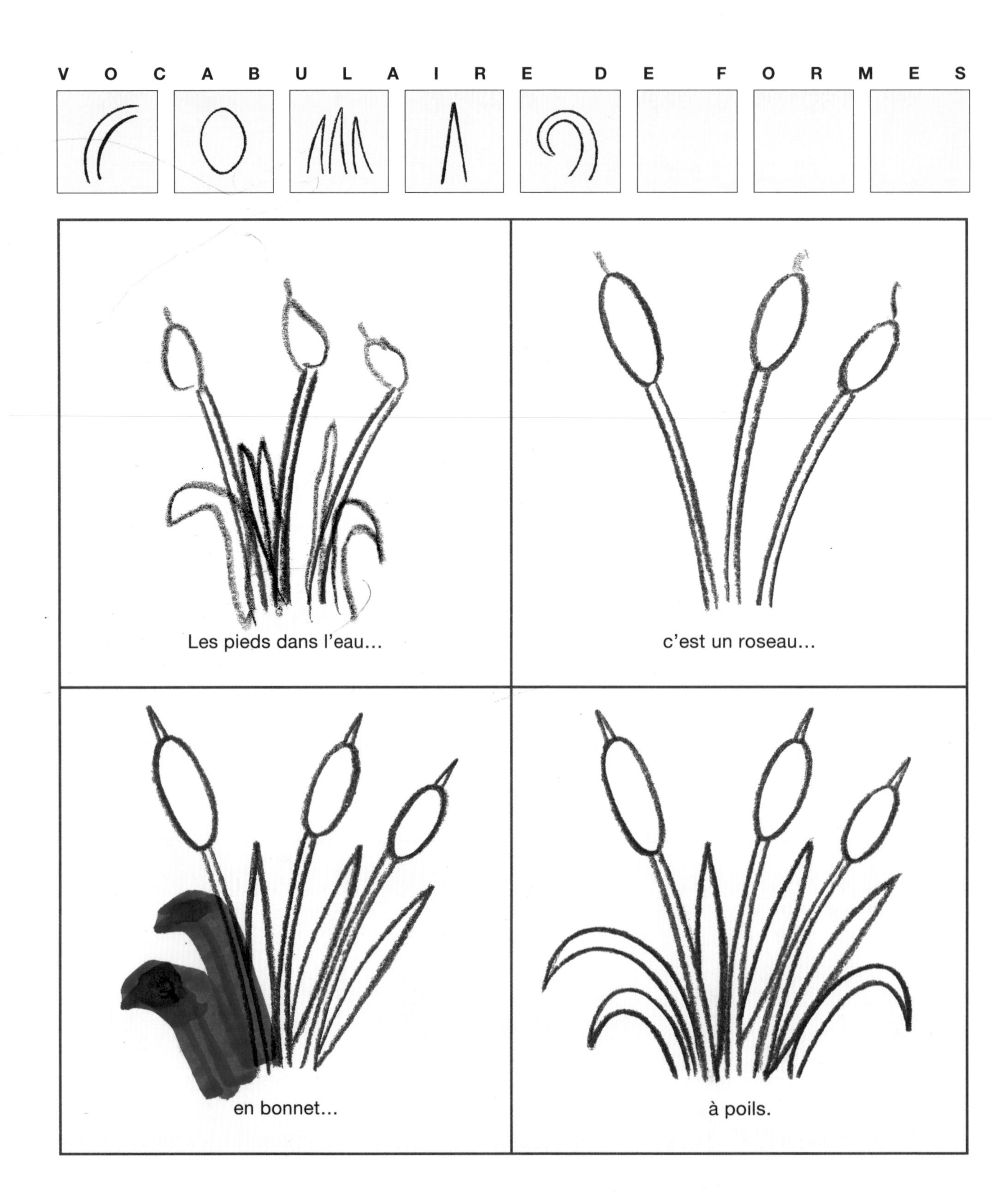
V O C A B U L A I R E D E F O R M E S
Les pieds dans l'eau…
c'est un roseau…
en bonnet…
à poils.

La massette

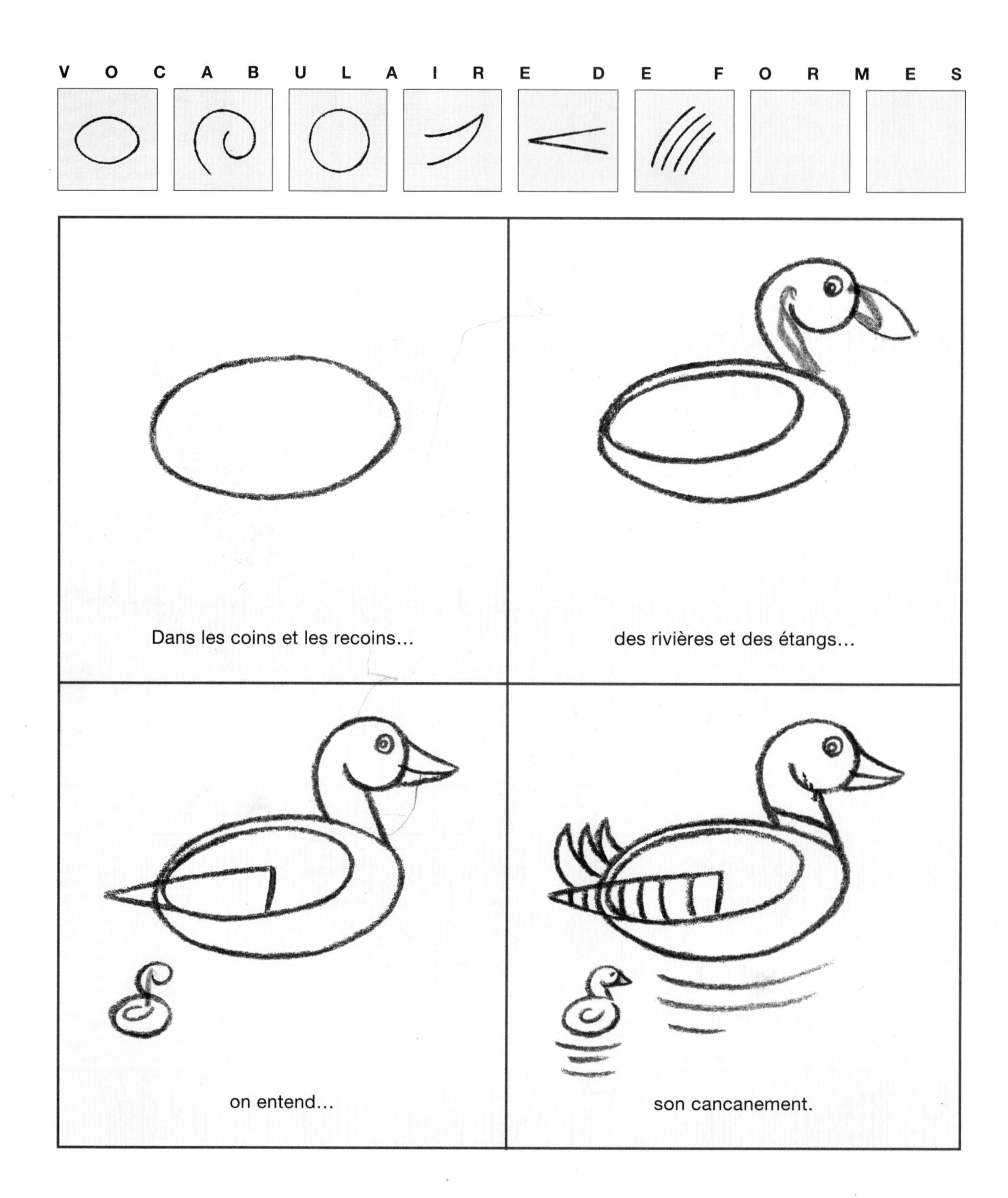
VOCABULAIRE DE FORMES
Dans les coins et les recoins...
des rivières et des étangs...
on entend...
son cancanement.

Le canard colvert

V O C A B U L A I R E D E F O R M E S
Pour faire de l'ombre...
aux poissons...
il a pris la forme...
du parasol.

Le saule pleureur

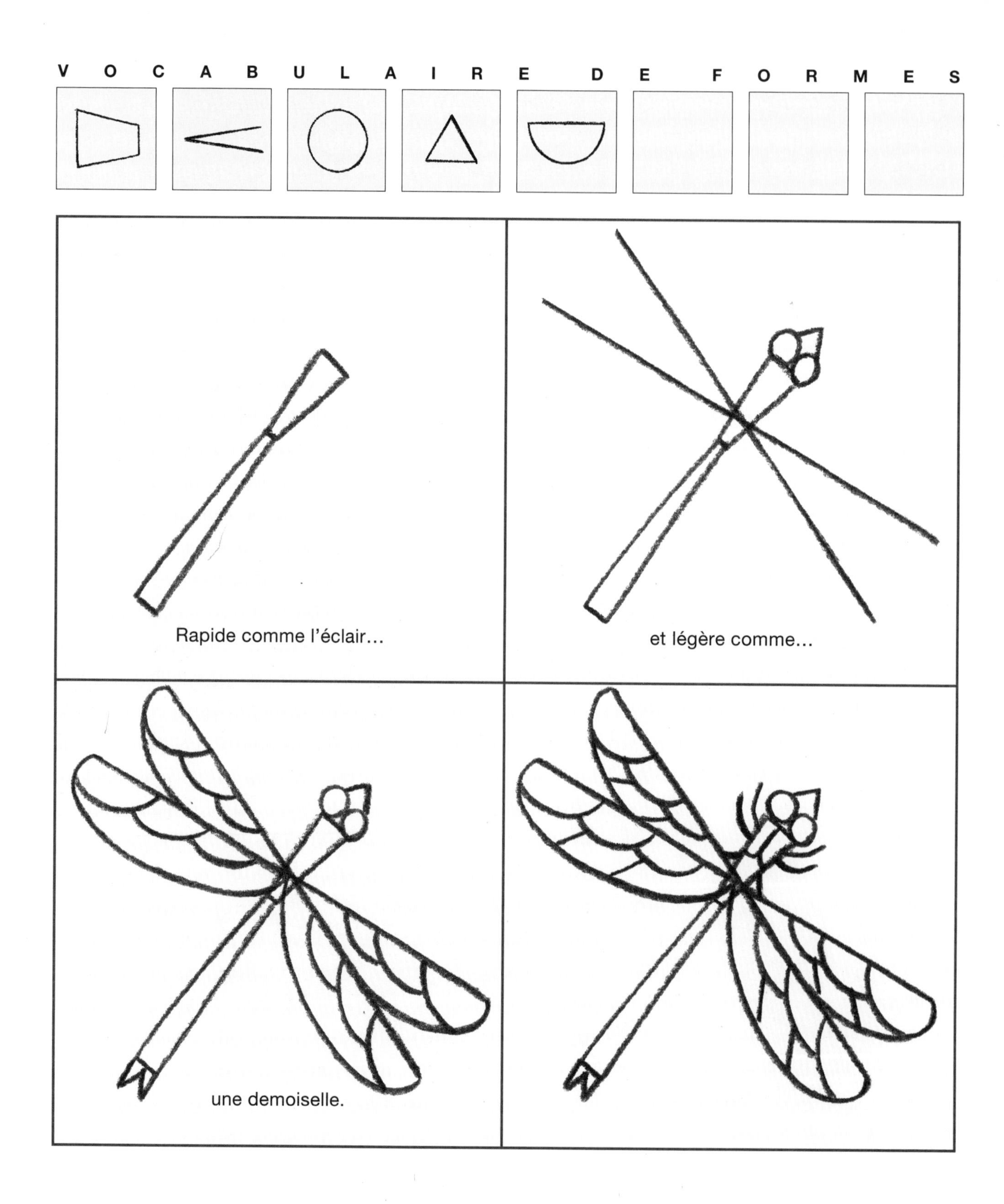
VOCABULAIRE DE FORMES
Rapide comme l'éclair…
et légère comme…
une demoiselle.

La libellule

VOCABULAIRE DE FORMES
Verte ou rainette...
elle est princesse têtard...
puis reine...
des nénuphars.

La grenouille

VOCABULAIRE DE FORMES
Il n'a pas peur...
de se mouiller...
quand il va...
à la pêche.

Le martin-pêcheur

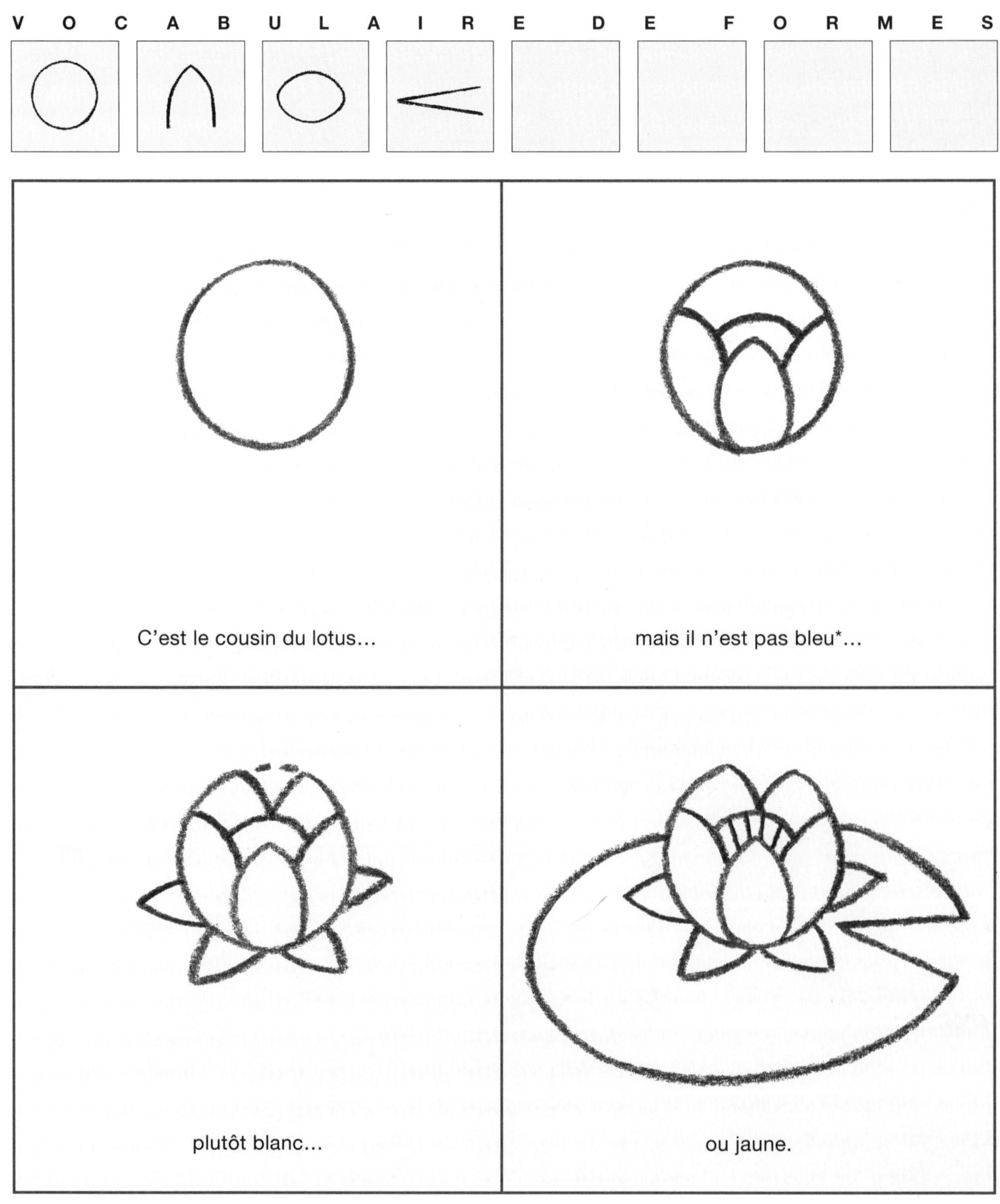

* les passionnés de Tintin auront tout de suite compris !

Le nénuphar

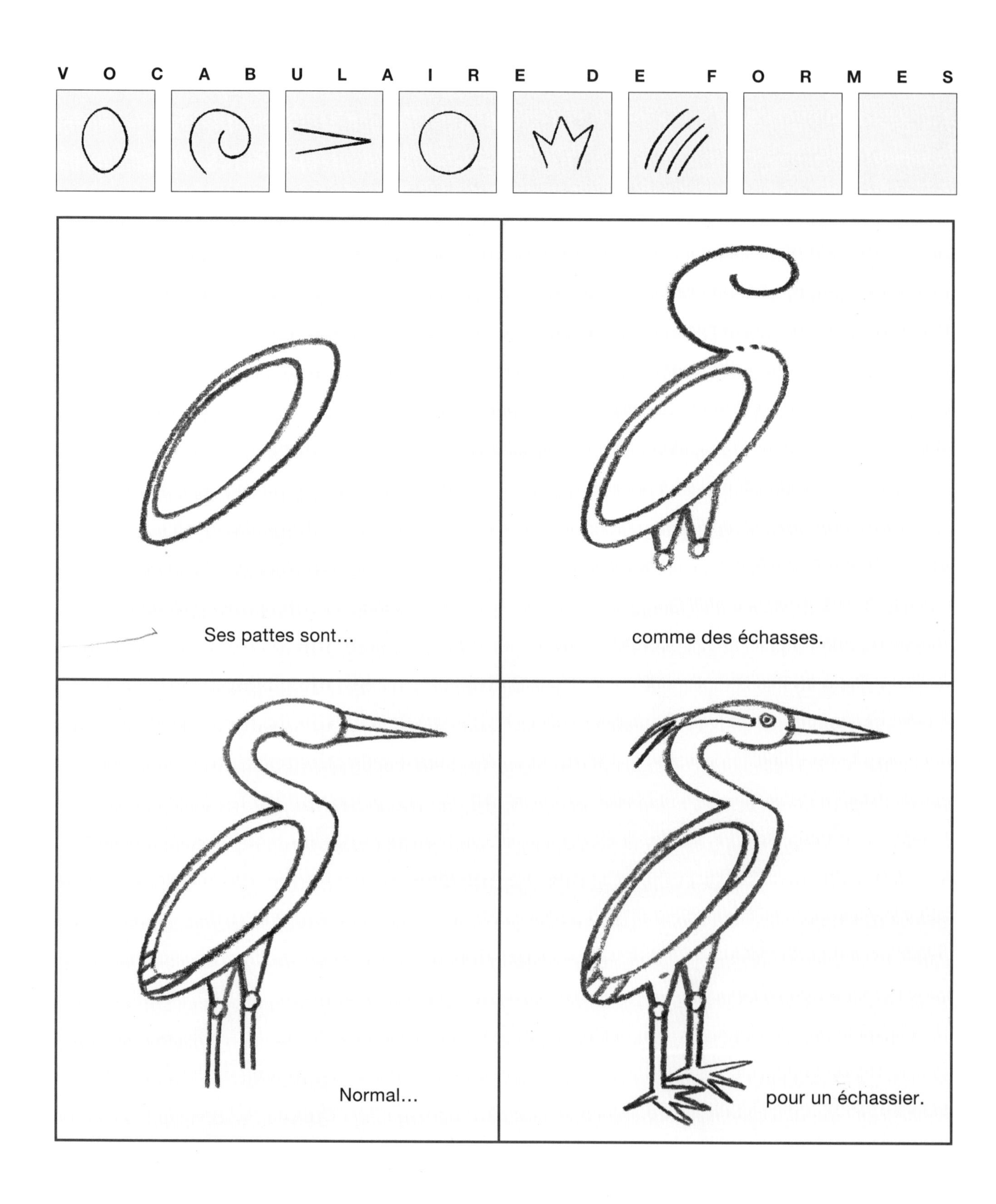
V O C A B U L A I R E D E F O R M E S
Ses pattes sont…
comme des échasses.
Normal…
pour un échassier.

Le héron cendré

Chut ! Pour découvrir la vie au bord de l'eau,

pas de bruit ou tout le monde s’enfuit.

Collection J'apprends à dessiner

Les animaux d'Afrique
Les animaux de la forêt
Les animaux de la maison
Les animaux de la ferme
La mer
La campagne
La montagne
Le bord de l'eau
Les dinosaures
Les animaux du monde
Les animaux du Grand Nord
Les oiseaux du monde
Les belles lettres
J'apprends à peindre les couleurs
J'apprends à peindre à la gouache
J'apprends à dessiner au feutre
Les contes
Le cirque
J'apprends à dessiner au compas
J'apprends à dessiner au crayon de couleur
La famille
L'école
J'apprends à découper
Les monstres
L'Égypte
Les chevaliers et châteaux forts
Les Gaulois
Les sports
Les animaux de A à Z (128 p.)
Les pirates
La préhistoire
Mes personnages préférés de A à Z (128 p.)
Les voitures et les motos
Les camions
Les avions
Les bateaux
La crèche de Noël
Noël
Les métiers de A à Z (128 p.)
Les trains

Les compilations

La nature
Les animaux lointains
À peindre et à dessiner
Un monde magique
De jolis décors
La vie quotidienne

Loi n°49-956 du 16 juillet 1949 sur les publications destinées à la jeunesse.

© Groupe Fleurus, Paris, 1993

Dépôt légal : 1993
ISBN 2-215-01922-0
ISSN 1257-9629
13e édition, n° 92397
Imprimé en Août 2004 par ***Partenaires-Livres***® / cl, France

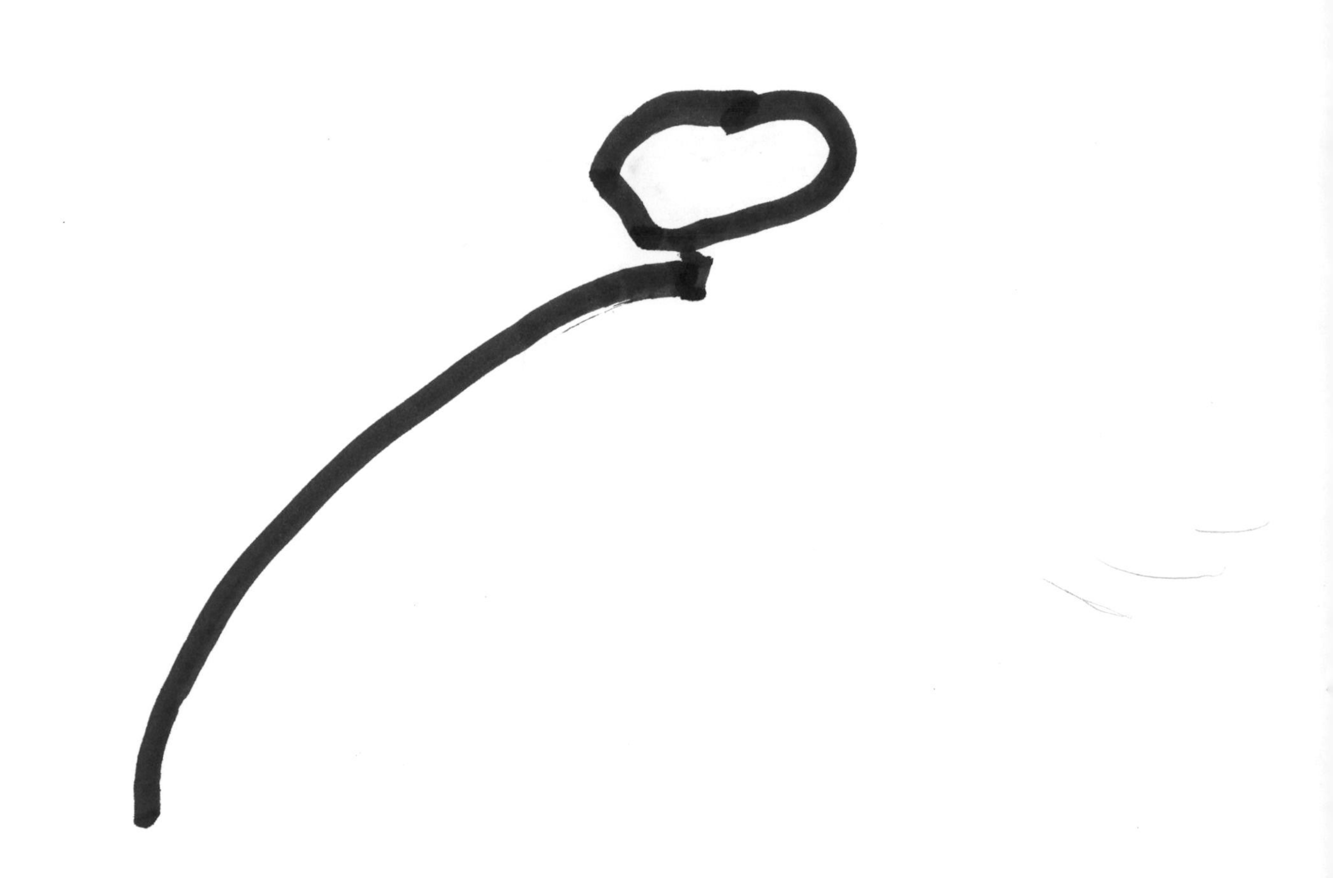